Made in the USA
Middletown, DE
19 July 2023

35469072R00060